Méchant Minou

prend un bain

Nick Bruel

Texte français d'Hélé

Éditions
SCHOLAS

Catalogage avant publication de Bibliothèque et Archives Canada

Bruel, Nick
Méchant Minou prend un bain / Nick Bruel ;
traductrice Hélène Pilotto.

Traduction de: Bad kitty gets a bath.

ISBN 978-1-4431-2023-4

I. Pilotto, Hélène II. Titre.

PZ23.B774Mec 2012   j813'.6   C2012-902566-6

Édition publiée par les Éditions Scholastic,
604, rue King Ouest, Toronto (Ontario) M5V 1E1.

5 4 3 2 1   Imprimé au Canada 116   12 13 14 15 16

À Jules, Jenny, Kate, Halley, Julie

et à tous les autres fabuleux Feiffer.

• TABLE DES MATIÈRES •

Au fil de ta lecture, tu croiseras certains mots
suivis d'un astérisque (*).
Leur définition se trouve dans le glossaire*,
à la fin du livre.

• INTRODUCTION •

Voici comment Minou aime faire sa toilette.

IL LÈCHE
SES POILS.

Il lèche ses pattes.

Il lèche sa queue.

Il lèche son dos.

Pour nettoyer sa face,
il lèche sa patte avant
et s'en sert pour frotter
partout où sa langue
ne peut aller.

SLUP SLUP SLUP
SLUP SLUP SLUP SL
UP SLUP SLUP
P SLUP SLUP SL
UP SLUP SLUP
P SLUP SLUP SL
UP SLUP SLUP
P SLUP SLUP SL
UP SLUP SLUP
P SLUP SLUP SL

Parfois, Minou passe
des heures à se lécher.

MONONC' MAURICE, LE CURIEUX

POURQUOI LES CHATS SE LÈCHENT-ILS?

Voici un gros plan de la langue de Minou.
Elle est couverte de centaines de piquants
miniatures en forme de crochets, qu'on appelle
des papilles*. Quand Minou lèche sa fourrure,
ces piquants agissent comme un peigne.

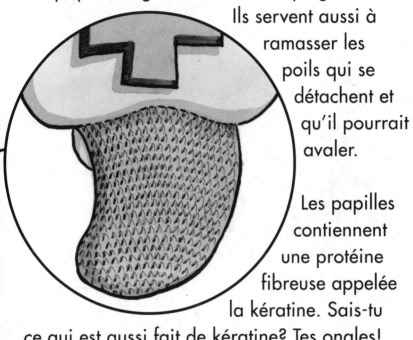

Ils servent aussi à
ramasser les
poils qui se
détachent et
qu'il pourrait
avaler.

Les papilles
contiennent
une protéine
fibreuse appelée
la kératine. Sais-tu
ce qui est aussi fait de kératine? Tes ongles!

SAINT-SALSIFIS! CE DRÔLE DE
CHAT A DES CENTAINES D'ONGLES
MINIATURES SUR LA LANGUE!

Minou doit se méfier.
S'il se lèche trop, une
BOULE DE POILS peut
se former dans son
estomac.

Cela se produit
quand il avale
trop de poils.

Parfois, la seule
façon de s'en
débarrasser, c'est
de la cracher.

GNNNNN...

C'est difficile de cracher une boule de poils.

Elle peut être tenace...

HÊÊK!

... et parfois drôlement grosse aussi.

ATTENTION!

Tu ne dois JAMAIS faire ta toilette
à la manière de Minou!

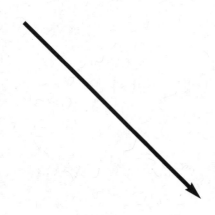

LA PRESSÉE

ÉLÈVE RENVOYÉ POUR CAUSE DE MAUVAISE HALEINE

L'ÉCOLE EST ÉVACUÉE

« J'ai vu mon chat faire sa toilette avec sa langue, a déclaré l'enfant, et j'ai pensé que ça fonctionnerait pour moi aussi! »

La direction prévoit rouvrir l'école d'ici une semaine, une fois que les autorités en santé publique auront

« J'ai oublié que j'avais mangé de la pizza à l'ail et aux œufs pour dîner », a expliqué le garçon désireux de conserver l'anonymat, photographié alors qu'il rentrait chez lui.

« Nous avons fait tremper l'enfant dans un mélange de dentifrice et de rince-bouche, a relaté la directrice de l'école, Mme Sarah Belle, mais cela n'a rien donné. On espère que

C'est donc ainsi que Minou fait sa toilette
D'HABITUDE.

parfois…

de temps à autre…

Minou a besoin…

d'un vrai...

BA

IN*

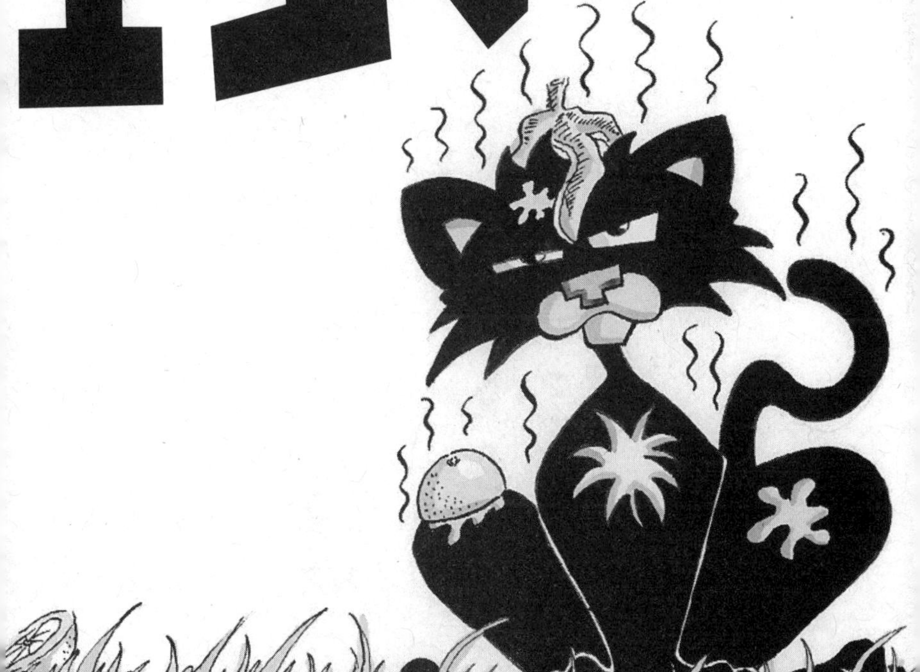

• CHAPITRE 1 •

COMMENT PRÉPARER LE BAIN DE MINOU

Te souviens-tu de la dernière fois que tu as donné le bain à Minou?

LA PRESSÉE

UNE FAMILLE ENTIÈRE EN DÉROUTE

On a retrouvé les membres de la famille terrorisée perchés sur un arbre, à plus de six kilomètres de leur domicile. Malgré des demandes répétées, ils ont refusé de descendre de l'arbre, alléguant que « cela avait été pire que la fois où on avait manqué de nourriture pour chats. »

L'histoire sinistre a débuté quand ces citoyens de la localité ont tenté de donner un bain à leur chat adoré. Confrontés aux cris, aux morsures, aux crachats et aux coups de griffes de leur animal en panique, ils ont dû prendre la fuite. Des experts en contrôle animalier ont été appelés sur place, mais aucun n'a voulu entrer dans la maison. Selon un agent de la paix, « c'est courant, ça arrive chaque fois que quelqu'un essaie de donner le bain à son chat. »

« Quels cris! Ça va me donner des cauchemars, c'est sûr! » s'est plainte Mme Edna Kroninger, une voisine. « C'était pire que la fois où ils avaient été à court de nourriture pour chats. J'avais failli déménager à l'époque...

RETIENS BIEN CECI :

Tout propriétaire de chat devrait savoir que...

LES CHATS DÉTESTENT LES BAINS

Pour ta sécurité, il est conseillé de répéter cette phrase à voix haute quatre mille huit cent quatre-vingt-treize fois.

Le problème, ce n'est pas que les chats n'aiment pas les bains. Ce n'est pas que les chats ont une relation complexe avec les bains. Ce n'est pas que les chats n'ont pas voté pour les bains aux dernières élections. Ce n'est pas que les chats préfèrent la vanille aux bains. Ce n'est pas non plus que les chats ont oublié d'envoyer une carte aux bains pour leur anniversaire. Ce n'est pas que les chats choisissent les bains en dernier quand ils forment les équipes avant une partie de ballon. Ce n'est pas que les chats considèrent les bains de la même façon que les chiens considèrent les bornes d'incendie. Ce n'est pas que les chats regardent les bains de la même façon qu'un végétarien regarderait cinq kilos de foie de veau cru. Ce n'est pas non plus que les chats auraient un jour, dans le passé, offert aux bains un super cadeau qui leur aurait coûté un mois de salaire et que les bains n'auraient même pas eu la décence de les remercier.

Le problème, c'est juste que...

LES CHATS DÉTESTENT LES BAINS

Autrement dit…

MONONC' MAURICE, LE CURIEUX

EUH... J'SAIS PAS!

POURQUOI LES CHATS DÉTESTENT-ILS LES BAINS?

Contrairement à la croyance populaire, les chats ne détestent pas l'eau. Ils ADORENT les poissons et comme les poissons vivent dans l'eau, la plupart des chats ne craignent pas de se mouiller un peu.

Par contre, les chats DÉTESTENT prendre un bain. En fait, les chats acceptent d'être mouillés seulement quand ce sont eux qui le décident. Si quelqu'un d'autre le décide à leur place, ils DÉTESTENT cela.

Si on doit vraiment mouiller un chat, on a intérêt à utiliser de l'eau tiède.

La fourrure d'un chat conserve très bien la chaleur, mais elle est moins efficace pour se protéger de l'humidité. Par conséquent, si un chat est plongé dans de l'eau froide, il aura bien du mal à retrouver sa température normale. Sans compter que la pauvre bête pourrait attraper un vilain rhume.

Conclusion : on devrait toujours baigner les chats dans de l'eau tiède (ET NON CHAUDE).

MOI, J'ADORE PRENDRE MA DOUCHE LE MATIN EN CHANTANT DE VIEUX SUCCÈS COUNTRY!

Les chats détestent aussi les douches. Et ils chantent rarement de vieux succès country.

Tu sais maintenant que les chats détestent les bains (il y aura un test à ce sujet). Tu comprends donc qu'il est important de préparer le bain de Minou AVANT de le mettre dedans.

Voici quelques-uns des articles nécessaires au bain de Minou :

UNE BAIGNOIRE

BEAUCOUP
D'EAU TIÈDE

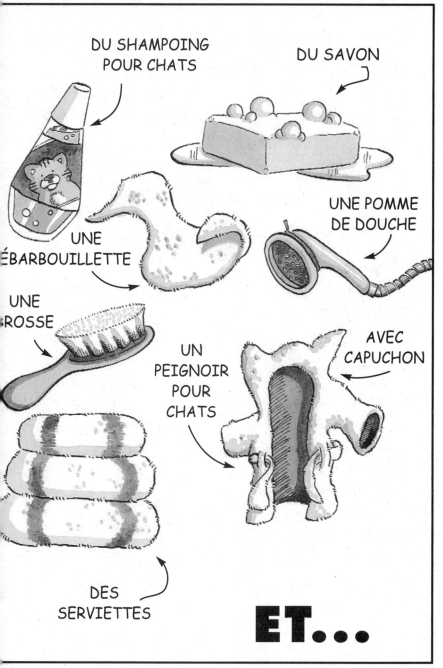

DU SHAMPOING POUR CHATS

DU SAVON

UNE ÉBARBOUILLETTE

UNE POMME DE DOUCHE

UNE BROSSE

UN PEIGNOIR POUR CHATS

AVEC CAPUCHON

DES SERVIETTES

ET...

Par mesure de sécurité, assure-toi d'avoir aussi ces articles à portée de la main.

LE NUMÉRO DE TON MÉDECIN PROGRAMMÉ EN COMPOSITION ABRÉGÉE

UNE ARMURE

DES RÉSERVES DE PLASMA*

UNE LETTRE À TES PROCHES

DES TONNES DE BANDAGES

CHÈRE FAMILLE,
JE VAIS DONNER LE BAIN À MINOU. NE SOYEZ PAS TRISTES. J'AI EU UNE BELLE ET LONGUE VIE. SOUVENEZ-VOUS PLUTÔT DE MON COURAGE DEVANT CE GRAND DÉFI QUE CONSTITUE LE BAIN DU CHAT...

UN SOUS-VÊTEMENT DE RECHANGE (LES SITUATIONS STRESSANTES CAUSENT PARFOIS DE PETITS « ACCIDENTS »)

DES BILLETS D'AVION ET LE TRAJET POUR TE RENDRE CHEZ TANTE PAULINE, OÙ TU RESTERAS JUSQU'À LA FIN DE CETTE AVENTURE

UN POTEAU À GRIFFES À TON IMAGE, QUI VA PEUT-ÊTRE — MAIS PROBABLEMENT PAS — DUPER MINOU

UNE AMBULANCE GARÉE DANS L'ENTRÉE, LE MOTEUR EN MARCHE

39

Bien sûr, la dernière chose dont tu auras besoin pour donner le bain à Minou, c'est... Minou.

Tâche de ne pas le dire trop fort.

TEST ÉCLAIR

COMPLÈTE LA PHRASE.

LES CHATS _____

A) ADORENT LES BAINS.

B) AIMENT LES BAINS.

· C) DÉTESTENT LES BAINS.

D) SONT DES VOLATILES DE PETITE TAILLE. ILS NE VOLENT PAS, SONT FACILEMENT RECONNAISSABLES À LEUR CRÊTE ET À LEURS BARBILLONS*, ET PEUVENT PONDRE JUSQU'À 250 ŒUFS PAR ANNÉE.

RÉPONSE : C. Si tu as répondu autre chose, relis le chapitre 1 au moins 753 fois ou jusqu'à ce que tu dises « Les chats détestent les bains » durant ton sommeil. Si tu as répondu D, cours vite chez l'optométriste, car ton animal domestique n'est pas un chat – comme tu le crois – mais bien une poule.

• CHAPITRE 2 •

COMMENT TROUVER MINOU

C'est ici que les choses se corsent.

Le bain est prêt, mais pas Minou. À vrai dire, il est introuvable.

Est-il dans sa litière?

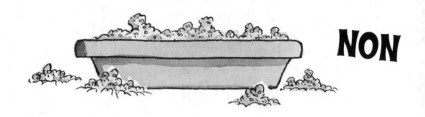

NON

Est-il sous le sofa*?

NON

Est-il sur son rebord de fenêtre préféré?

NON

Est-il dans son fauteuil favori?

NON

Est-il sur ton lit?

NON

Alors, où est-il?

45

Minou est vraiment bon pour jouer à cache-cache. La meilleure chose à faire, c'est de se rappeler où il s'est caché dernièrement.

Il s'est caché ici quand tu as voulu l'amener chez le vétérinaire*.

Il s'est caché ici quand tu as voulu lui brosser les dents.

Il s'est caché ici
quand tu as voulu
lui donner son
médicament.

Il s'est caché ici
quand tu as voulu lui
couper les griffes.

Il s'est caché ici
quand tu lui as
ordonné de
manger tous ses
légumes*.

47

Hé! Voici Toutou!

Toutou sait peut-être où Minou se cache.

Hep! Toutou! Sais-tu où est caché Minou?

Hum… Il n'a pas l'air de le savoir.

Une minute… Depuis quand Toutou a-t-il le pelage noir? Il n'a jamais été noir. Cet animal n'est sûrement pas Toutou. Alors, qui est-ce? Hum…

C'EST MINOU!
IL S'EST DÉGUISÉ!

ATTRAPE-LE!

ATTRAPE-LE!

IL MONTE À L'ÉTAGE!
ATTRAPE-LE!

IL FILE DANS LE COULOIR!
ATTRAPE-LE!

IL EST DANS LA SALLE DE BAIN! Pris au piège!
À présent, il ne reste plus qu'à fermer
doucement la porte et à lui donner le bain.

Oh, oooh!

• CHAPITRE 3 •

COMMENT DONNER LE BAIN À MINOU

Maintenant que tu as Minou et que le bain est prêt, tu n'as qu'à suivre cette méthode, étape par étape. De cette façon, vous serez tous les deux à l'aise durant le bain.

1) Saisis Minou doucement, mais fermement.

2) Cajole-le et caresse-le gentiment pour le rassurer. Dis-lui que tout va bien se passer.

3) Dis-lui que tu l'aimes. À coup sûr, il te dira qu'il t'aime, lui aussi.

MOI AUSSI, JE T'AIME!

4) Puis, dépose délicatement Minou dans l'eau tiède et savonneuse.

JE SUIS LA REINE
ESMÉRALDA*, ET JE VIENS
DE L'ÎLE MAGIQUE
DU BONBON MULTICOLORE!

ON M'A ENVOYÉE ICI POUR
TROUVER L'ÊTRE HUMAIN
AU CŒUR LE PLUS NOBLE
ET LE PLUS PUR, CAR SEUL
UN ÊTRE AU CŒUR NOBLE
ET PUR AURAIT LE COURAGE
DE DONNER LE BAIN
À UN CHAT SALE
ET MALODORANT!

EN REMERCIEMENT
DE TON COURAGE
ET DE TA BRAVOURE,
JE TE FAIS DON D'UN
TRÉSOR SANS PRIX...

... UNE LICORNE DORÉE! VOIS CETTE SPLENDIDE BÊTE VOLANTE DANS UN CHAUDRON MAGIQUE REMPLI DE DIAMANTS ENROBÉS DE CHOCOLAT!

Nous avons le
regret de vous
informer que
le chapitre 3
n'était qu'un
rêve.

• CHAPITRE 4 •

COMMENT
METTRE MINOU
DANS LE BAIN

Tu devais te douter que l'opération allait être plus difficile que cela.

Maintenant que tu as repris connaissance,
tu te souviens probablement de ce qui
s'est passé quand...

... tu as voulu
l'amener chez
le vétérinaire.

... tu as voulu
lui brosser les
dents.

De toute façon, tout ça n'a plus d'importance maintenant, Minou, car... TU PUES! Et tu DOIS PRENDRE UN BAIN!

Ordonne à Minou d'une voix ferme de sauter dans le bain IMMÉDIATEMENT!

Bon, d'accord, ça n'a pas marché.

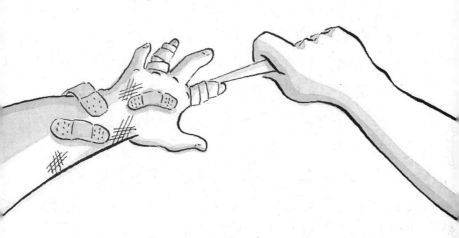

Tu pourrais peut-être essayer l'art subtil de la NÉGOCIATION*.

La négociation, c'est l'action d'utiliser la parole plutôt que la force pour convaincre Minou de faire une chose qu'il ne veut pas faire.

Tout d'abord, essaie la FLATTERIE.

REGARDE-MOI LE BEAU MINOU!
C'EST PAS UN AMOUR DE MINOU,
ÇA? MIGNON COMME TOUT
À PART ÇA! LE GENTIL MINOU
N'A PAS ENVIE D'ÊTRE TOUT
PROPRE ET DE SENTIR
LA ROSE? HEIN, MON BEAU?
C'EST QUI LE PLUS ADORABLE
MINOU DE TOUS LES MINOUS
DU MONDE ENTIER? MAIS OUI,
C'EST TOI! OUI, OUI, OUI!
OOOH, T'ES TELLEMENT
UN BEAU MINOU!

Si ça ne fonctionne pas,
essaie plutôt…

... la SUPPLICATION.

S'IL TE PLAÎT! JE T'EN PRIIIIE!
SAUTE DANS LE BAIN! ALLEZ!
SI TU AS LA MOINDRE TRACE
DE GENTILLESSE EN TOI, SAUTE
DANS LE BAIN. JE T'EN PRIIIE!
J'AI TRAVAILLÉ TRÈS FORT
POUR T'AMENER JUSQU'ICI,
ALORS MAINTENANT QUE
TU Y ES, VAS-Y! SAUTE DANS
LE BAIN, S'IL TE PLAÎÎÎT!

ON SERA LES MEILLEURS AMIS
DU MONDE POUR LA VIE!

Si ça ne fonctionne pas,
essaie plutôt…

... la CORRUPTION.

HÉ, MINOU, TU TE SOUVIENS DU
JOLI POTEAU À GRIFFES EN SOIE
ET EN PEAU DE RHINOCÉROS
DONT TU RÊVES? EH BIEN, JE
VAIS TE L'ACHETER SI TU VAS
DANS LE BAIN. ET TU SAIS LES
CROQUETTES AU LAIT DE CHÈVRE
ET AUX NAGEOIRES DE SAUMON
QUE TU ADORES? JE VAIS T'EN
ACHETER UNE BOÎTE – LA PLUS
GROSSE DU MAGASIN – SI TU VAS
DANS LE BAIN. J'AI DIT UNE
« BOÎTE »? JE VOULAIS DIRE UN
« BARIL »! J'AI DIT UN « BARIL »?
JE VOULAIS DIRE UN « CAMION »!
ET TU POURRAS EN MANGER
PENDANT LE BAIN. ALORS,
TOPE-LÀ, MINOU?

MINOU?

Si ça ne fonctionne pas,
essaie plutôt…

D'ACCORD... TU NE VEUX PAS PRENDRE TON BAIN? TRÈS BIEN. NE LE PRENDS PAS. JE M'EN FICHE. TU VAS PUER JUSQU'À LA FIN DE TES JOURS ET TOUT LE MONDE VA T'ÉVITER. MAIS PEU M'IMPORTE. SURTOUT, NE SAUTE PAS DANS LE BAIN. CE SERAIT LA SEULE FAÇON D'ÊTRE PROPRE ET CE N'EST PAS CE QU'ON VEUT. JE SUIS BIEN CONTENT QUE TU NE TE LAVES PAS. VRAIMENT. D'AILLEURS, J'ESPÈRE QUE TU NE TE LAVERAS PLUS JAMAIS. À MOINS QUE...

TU EN AIES VRAIMENT ENVIE.

ALORS, ÇA TE TENTE?

Eh bien... On dirait que Minou ne prendra pas de bain finalement. C'est dommage. On a bien essayé pourtant.

On devrait peut-être finir le livre ici et économiser le papier.

C'est d'autant plus dommage que la seule façon de donner le bain à Toutou, c'est de donner celui de Minou en premier.

Tu ne savais pas ça, Minou? Toutou est encore plus sale et plus malodorant que toi. Il doit absolument prendre un bain SUPER SPÉCIAL...

... toutes sortes
de savons...

Mais bien sûr, pour que tout cela arrive, il faut d'abord que Minou prenne son bain.

Ça s'en vient...

• CHAPITRE 5 •

LE BAIN

Maintenant que tu as enfin réussi à mettre Minou dans le bain, prends une tasse ou un petit contenant, et verse délicatement l'eau tiède sur sa fourrure pour la mouiller.

Évite de verser de l'eau directement sur la tête de Minou. Utilise plutôt une débarbouillette humide pour lui frotter doucement la face et la tête.

Lave Minou à l'aide d'un shampoing recommandé par son vétérinaire.

Si tu en as une, sers-toi de la douche téléphone pour rincer Minou. Sinon, utilise un contenant, comme tu l'as fait tout à l'heure.

Encore une fois, évite de mouiller la tête de Minou. Utilise la débarbouillette pour ôter l'excédent d'eau et de savon de sa face.

Arrose, rince et nettoie Minou jusqu'à ce qu'il n'y ait plus de trace de shampoing dans ses poils.

Tu as sans doute remarqué que Minou est très bruyant. Il essaie sûrement de te dire quelque chose. La liste ci-dessous te donne un aperçu des sons que font souvent les chats et de leur signification.

 MIAOU ⟶ J'ai faim.

 MIAOU-
OU-
OU! ⟶ J'ai très faim.

 MIAOR
ORR-
ORRR! ⟶ J'ai diablement faim et t'as intérêt à me nourrir tout de suite si tu ne veux pas en subir les horribles conséquences.

FFT! ⟶ Laisse-moi seul.

CRR-CRR! ⟶ Dégage, l'ami!

MIAOR RIAOR FFT! ⟶ Si tu tiens encore à la vie, fais de l'air et respecte ma mauvaise humeur.

MIAOU RIAOR-ORR-ORR CRR-CRR FFT FFT MIAOR! ⟶

Nick,

Encore une fois, je suis désolé, mais on ne peut pas publier ça. Les paroles de Minou sont si horribles qu'on pourrait tous finir nos jours en prison si on les publiait.

J'espère que tu comprends.

Ton éditeur,

Neal

Tu as maintenant un Minou très, très propre...
même s'il est encore très, très mouillé.

Sors-le doucement du bain et ôte le bouchon
pour que l'eau s'écoule.

Sèche Minou en l'enveloppant dans une serviette. Frictionne-lui tout le corps.

101

Comme ça, Minou sera tout beau et tout sec!

Wahou! Quel beau Minou! Et qui sent bon à part ça!

MONONC' MAURICE, LE CURIEUX

LES CHATS SAVENT-ILS NAGER?

J'ARRIVE! JE ME PRÉPARE UN SANDWICH!

Même s'ils détestent prendre un bain et qu'ils ne raffolent pas de l'eau en général, TOUS les chats SAVENT nager. En fait, ce sont d'excellents nageurs.

Le turc de Van, par exemple, adore nager. Les chats de cette race se jettent à l'eau chaque fois qu'ils en ont la chance.

104

Les tigres sont aussi d'excellents nageurs. Comme ils vivent dans des climats très chauds, ils nagent souvent pour se rafraîchir.

S'il t'arrive un jour d'être poursuivi par un tigre, ne saute pas à l'eau! Grimpe plutôt à un arbre. Les tigres adorent nager, mais ils sont maladroits pour grimper aux arbres.

Et si jamais tu passes par les terres humides du Népal et du Myanmar, ouvre l'œil. Tu y croiseras peut-être le chat viverrin, aussi appelé « chat pêcheur ». Ce félin aux longues griffes n'hésite pas à plonger dans l'eau pour attraper un poisson.

QU'EST-CE QUI M'A ÉCHAPPÉ?

• CHAPITRE 6 •

L'APRÈS-BAIN

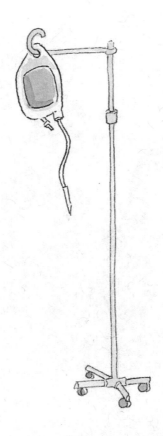

Après son bain, il y a de fortes chances pour que Minou recommence à se lécher. Il voudra se laver à sa manière : en se débarbouillant avec sa langue.

Ce n'est PAS le moment de le cajoler.

À vrai dire, Minou t'évitera peut-être pendant
quelques heures... ou quelques jours...
ou même quelques semaines.

N'en fais pas toute une histoire. Après tout, tu as forcé Minou à faire une chose qu'il DÉTESTE et qu'il ne voulait pas faire.

Tu as quand même bien agi. Minou ne te remerciera probablement pas maintenant. En fait, il ne te remerciera probablement JAMAIS. Au cours des prochains jours, il va peut-être même te jouer des mauvais tours pour t'exprimer sa colère.

SOULIER FLAMBANT NEUF

PETIT « CADEAU » DEDANS

Dis-toi que si tu n'avais pas donné le bain à Minou, il aurait fait sa toilette avec sa langue, comme d'habitude, même s'il était très, très sale. Par conséquent, il aurait pu tomber très, très malade. Et personne, ni toi ni Minou, ne veut cela!

TOUX/FIÈVRE   FATIGUE   NAUSÉES

Minou et toi, vous ne vous entendez peut-être pas toujours, mais vous avez maintenant DEUX points en commun.

1) Vous savez tous les deux qu'un jour, Minou va te pardonner.

2) Vous espérez tous les deux que Minou n'aura JAMAIS besoin d'un autre bain.

• ÉPILOGUE •

COMMENT
DONNER LE BAIN
À TOUTOU

1RE ÉTAPE :

2ᴱ ÉTAPE :

3ᴱ ÉTAPE :

SERVIETTE

FIN

MIAOU
MIAOU-OU
MIAOR-ORR
CRR-CRR
FFT-FFT-FFT
MIAOR!

• GLOSSAIRE •

bain : un mot à ne jamais prononcer en présence de Minou.

crête et barbillons : excroissances charnues rouges que l'on trouve sur la tête et la gorge des poules, mais très rarement sur celles des chats.

éditeur : personne qui supervise *avec génie* la publication d'un livre comme celui-ci et *à qui revient pratiquement tout le mérite de son succès.*

Esméralda : nom du chat de Nick Bruel.

glossaire : liste de mots suivis de leur définition, ajoutée à la fin d'un livre. Tu as cinq secondes pour trouver le glossaire de CE livre. C'est parti!

légumes : autre mot à ne pas prononcer à voix haute devant Minou.

négociation : procédé très efficace pour essayer de convaincre tes parents de te donner plus d'argent de poche, mais totalement inefficace quand il s'agit de convaincre Minou de prendre un bain.

papilles : protubérances en forme de crochets miniatures présentes par centaines sur la langue de Minou. Ce sont elles qui lui donnent sa texture de papier sablé, qu'on ressent lorsqu'il nous lèche un doigt.

plasma : partie liquide du sang. C'est parce qu'elles flottent dans le plasma que les cellules sanguines peuvent transporter l'énergie et l'oxygène dans tout le corps. Sans le plasma, les cellules seraient comme des poissons dans une rivière asséchée. Garde toujours une réserve de plasma à proximité quand tu donnes le bain à Minou, au cas où tu « perdrais » un peu de sang.

psychologie inversée : méthode pour obliger une personne à faire quelque chose en lui demandant le contraire de ce qu'on attend d'elle. Mais ne l'essaie pas, ça ne fonctionne jamais.

sofa : poteau à griffes de Minou, au fini très doux et agréable, et au prix très élevé.

vétérinaire : médecin qui s'occupe des animaux comme Minou. Sans doute la personne la plus courageuse au monde.

• À PROPOS DE L'AUTEUR •

NICK BRUEL a écrit et illustré plusieurs livres très amusants, qui lui ont valu une grande popularité auprès des jeunes lecteurs. À titre de créateur du personnage de *Méchant Minou*, il est attendu dans pas moins de 37 États américains. À propos de *Méchant Minou*, des gens très importants ont dit :

• « Un des chats les plus dramatiques et les plus expressifs jamais créés à l'aquarelle. »
   — *Kirkus Reviews*

• « Fera hurler de rire les jeunes lecteurs. »
   — *Publishers Weekly*